A QUATTRO MANI

I

Andrea Camilleri e Carlo Lucarelli
Acqua in bocca

Edizioni minimum fax
piazzale di Ponte Milvio, 28 – 00135 Roma
tel. 06.3336545 / 06.3336553 – fax 06.3336385
info@minimumfax.com
www.minimumfax.com

I edizione: giugno 2010
ISBN 978-88-7521-278-0

Gli autori hanno scelto di devolvere i proventi
derivati dai diritti d'autore alle associazioni
Papayo Onlus (www.myspace.com/papayoonlus)
e San Damiano Onlus (www.sdamiano.org).

Composizione tipografica:
Sabon (Jan Tschichold, 1967) per gli interni
Sabon (Jan Tschichold, 1967) e Pontif (Garrett Boge, 1996) per la copertina

Andrea Camilleri
Carlo Lucarelli

—

Acqua in bocca

QUESTURA DI BOLOGNA
SQUADRA MOBILE

DA: isp. capo GRAZIA NEGRO
A: dott. SALVO MONTALBANO c/o COMMISSARIATO DI
   VIGATA
OGGETTO: richiesta di informazioni su OMICIDIO DEI
   PESCIOLINI ROSSI

Caro collega,
   ti scrivo di mia iniziativa personale e senza che lo sappiano né il dirigente del mio ufficio né il questore, che, ti dico subito, non approverebbero, avendo un'ipotesi investigativa del tutto diversa sul caso in oggetto. Anzi, devo farti presente che le indagini che sto conducendo non solo non sono autorizzate, ma mi sono state espressamente vietate dai miei superiori. Quindi, se vorrai rispondermi negativamente, capirò e non ti disturberò

oltre. Ti chiedo solo di tenere questa cosa per te e non farne parola con nessuno.

Se invece vorrai darmi una mano te ne sarò grata. Allego quindi la relazione di servizio della volante giunta sul posto e i primi accertamenti compiuti, più copia dei reperti in nostro possesso (qualcosa, sono sicura, ce l'hanno i cugini, visto che sul luogo sono arrivati anche i carabinieri).

Ti saluto e ti ringrazio,

Grazia Negro

P.S. Però, se un po' ti conosco e se la tua fama corrisponde a verità, sono sicura che mi aiuterai...

QUESTURA DI BOLOGNA
UFFICIO VOLANTI

RELAZIONE DI SERVIZIO

Il sottoscritto ag. scelto ROSSINI IVAN, capo equipaggio della volante 10, unitamente all'ag. ARAGOZZINI LUCIANO, riferisce quanto segue.

Alle ore 23.05 di oggi 27/05/2006 il Centro Operativo richiedeva allo scrivente di recarsi in via Altaseta 4, dove, secondo una telefonata giunta al 113, era stato rinvenuto un cadavere.

Recatomi immediatamente nel posto segnalato trovavo in strada il signor ALBERTINI GIULIO, in atti meglio generalizzato, che con fare molto agitato ci conduceva al terzo piano dell'abitato dove constatavo la presenza di un cadavere ormai privo di vita riverso sul pavimento della cucina.

Dopo aver relazionato per via telefonica al Centro

Operativo procedevo ad interrogare oralmente l'AL-
BERTINI, il quale dichiara che:

Si era recato presso l'abitazione di MAGNIFICO AR-
TURO, suo amico da alcuni anni, per una visita e non ot-
tenendo risposta ai reiterati colpi bussati alla porta pro-
cedeva ad aprire con un mazzo di chiavi precedente-
mente affidatogli dal MAGNIFICO. Entrato, chiamava
l'amico senza ottenere risposta fino a giungere alla cucina, dove vedeva il MAGNIFICO riverso sul pavimento
con la testa infilata in un sacchetto di plastica. A questo
punto, dopo un iniziale smarrimento, l'ALBERTINI usci-
va dall'abitazione e con il suo cellulare chiamava il 113.

A mia diretta domanda l'ALBERTINI dichiara di non
aver toccato niente e solo con un certo imbarazzo am-
mette di aver rimesso la cena in un angolo della cucina.

Gli inquilini del secondo e primo piano, fam.ie RO-
VATI e GORANIC, questi ultimi di nazionalità rumena
ma provvisti di regolare permesso di soggiorno, in atti
meglio generalizzati, confermano di aver sentito le gri-
da di aiuto dell'ALBERTINI attorno alle 22.50 circa.

Il mio intervento è durato dalle ore 23.05 alle ore
24.00.

F.to
il capopattuglia
ag. scelto ROSSINI IVAN

GABINETTO REGIONALE
DI POLIZIA SCIENTIFICA DI BOLOGNA

A: dirigente squadra mobile dott. FRANCESCHINI
OGGETTO: sommari rilevamenti OMICIDIO MAGNIFICO

Riassumiamo per vostra comodità le risultanze dei primi accertamenti da noi compiuti alle ore 24.00 del 27/05/2006 in via Altaseta 4.

– Il cadavere appartiene a MAGNIFICO ARTURO, nato a Vigata il 26/10/1960, di professione spedizioniere. Giaceva supino sul pavimento della cucina. Era completamente vestito, tranne una scarpa, che allo stato attuale non risulta ancora reperita. La scarpa era un mocassino modello TOD's marrone numero 42. Il cadavere indossava una camicia bianca, un paio di calzoni e una scarpa.

– La testa del cadavere era infilata dentro un sacchetto di cellophane trasparente, privo di marca, che ne aveva apparentemente provocato il decesso. Sul cellophane, in corrispondenza della bocca, abbiamo rinvenuto tracce di sospetto materiale ematico prodotto verosimilmente quando il MAGNIFICO si è morso la lingua durante il soffocamento.

– Il cadavere non mostrava ferite da difesa né segni di collutazione comparabili con la lotta che si presume sia avvenuta. Allo stato sono in corso accertamenti per verificare la natura di un livido al polso sinistro.

– I capelli del cadavere e la parte superiore della camicia erano ancora umidi e c'erano tracce di liquido incolore e inodore (presumibilmente acqua) sul pavimento della cucina in corrispondenza della testa del MAGNIFICO. Sono in corso accertamenti.

– Accanto alla testa del MAGNIFICO c'erano 3 pesciolini rossi, del tipo più comune, morti per soffocamento.

– In un angolo della cucina è stato rinvenuto materiale predigerito che sappiamo non doversi porre in relazione al caso.

– Tutto il resto della casa appare in ordine e non sembra mancare nulla. Sono state repertate numerose impronte dattiloscopiche attualmente in corso di accertamento.

– Non è stato trovato alcun acquario o contenitore domestico per pesciolini.

F.to
il vicedirigente
dott. SILIO BOZZI

VERBALE DI SOMMARIA
INFORMAZIONE TESTIMONIALE

L'anno 2006, addì 28 del mese di maggio, alle ore
11.30, in quest'ufficio davanti al sottoscritto isp. GRA-
ZIA NEGRO, ufficiale di polizia giudiziaria, è presente il
signor ALBERTINI GIULIO, di anni 29, nato a Pavia il
23/02/1977 e residente a Bologna, in vicolo dell'Infer-
no 15, il quale dichiara:

– Conoscevo Arturo da almeno cinque anni. Lo avevo
 conosciuto sul lavoro, in quanto tutti e due lavorava-
 mo presso la ditta di spedizioni ARDUINO di Castel
 Maggiore, e ho continuato a frequentarlo anche quando ho cambiato lavoro. Arturo era una persona tranquilla e socievole e non aveva mai avuto problemi con
 nessuno. Non riesco a immaginare il motivo per cui
 possa essere stato ucciso o abbia inteso togliersi la vita.

A.D.R.: Sono andato a trovarlo a quell'ora per farmi restituire alcuni cd musicali che gli avevo prestato. Sapevo che andava a dormire sempre molto tardi ed ero solito presentarmi a casa sua non annunciato.

A.D.R.: Non sono omosessuale e posso affermare che non lo era neanche Arturo. Tra di noi non è esistita mai alcuna relazione al di fuori dell'amicizia.

A.D.R.: Arturo non era sposato. Frequentava una ragazza di nome MARA che non ho mai visto e che non saprei identificare in altro modo.

A.D.R.: Nego nel modo più assoluto che Arturo possa aver posseduto dei pesci rossi. Odiava i pesci, ed era allergico al punto da non poterne mangiare.

A.D.R.: Non so come quei pesci rossi possano essere arrivati a casa di Arturo.

Di quanto sopra viene redatto il presente verbale che viene letto, confermato e sottoscritto.

Giulio Albertini
Grazia Negro

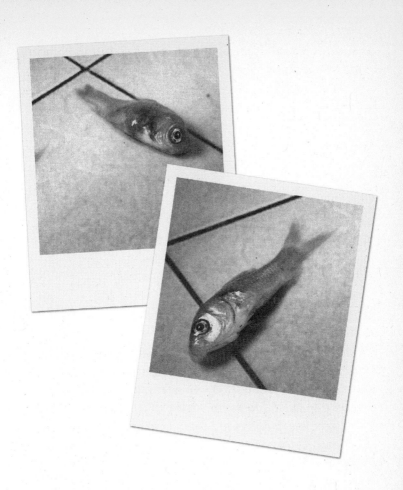

Caro collega,

aggiungo queste note alla fine, come si fa nei gialli, per stuzzicare la tua curiosità (e nota che io odio i gialli).

Chi è questo Arturo Magnifico? Abbiamo fatto richiesta di notizie al vostro commissariato ma il mio dirigente dice che non avete risposto. Io non ci credo. Il signor Albertini è sparito. Ha preso un aereo a suo nome a Bologna ed è sceso a Palermo, dove è scomparso. Ho chiesto di fare un fonogramma di ricerca ma il mio dirigente me lo ha impedito. Secondo lui è in vacanza per lo stress. Io non ci credo. E quei pesciolini rossi cosa c'entrano?

Sto continuando a indagare per conto mio dalle mie parti. Vuoi darmi una mano dalle tue?

Ciao,

All'ispettore capo
Grazia Negro
Squadra Mobile
Questura di BOLOGNA

Cara Grazia Negro,
  ho ricevuto la tua lettera e gli allegati.
  Sono molto indeciso se darti una mano o no perché tu mi sembri una che le rogne va a cercarsele. E la rogna è contagiosa. Non mi riferisco al fatto che tu voglia portare avanti un'indagine che ti è stata espressamente vietata dai tuoi superiori, questo semmai ti renderebbe simpatica ai miei occhi, no, mi riferisco al fatto che tu intendi coinvolgermi in una specie d'indagine privata e non autorizzata *facendomene richiesta su carta intestata della Questura di Bologna* e oltretutto *indirizzando la lettera al Commissariato di Vigàta!* E infatti la lettera

è stata aperta da Catarella che mi ha telefonato a Marinella dicendomi che un negro aveva ammazzato un certo Rossi che di nome faceva Pesciolini. E tu vorresti tenere la cosa nascosta? Ma figurati! E poi non lo sai che non potevi inviare copia di quei documenti a un estraneo come me, dato che essi sono sotto segreto istruttorio? Sei pazza, figlia mia? L'unica cosa che funziona in parte di tutto quanto mi hai inviato è l'ultima pagina, perché scritta su carta non intestata e firmata con la sola iniziale del tuo nome. In parte, perché hai fatto male a scriverla di tuo pugno, sarebbe stato meglio se l'avessi battuta al computer. Una qualsiasi perizia calligrafica porterebbe a te.

Allora, in conclusione, alla tua richiesta di collaborazione mi trovo costretto a rispondere di no. Mi dispiace, ma non mi fido di te.

Ti comunico che ho bruciato i documenti allegati nel timore che Catarella potesse rispedirli alla Questura di Bologna. So di averti deluso, ma non so che farci.

S.M.

Potrei avere il tuo indirizzo privato? Puoi scrivermi indirizzando a S.M. – Marinella, Vigata.

Grazia Negro
Via ##########
BOLOGNA

Gentile ispettrice Negro,
    il mio collega Fazio che ha il complesso dell'anagrafe
mi ha riferito che Arturo Magnifico, nato qui a Vigata
il 26/10/1960, ha lasciato la sua città natale nel 1985
trasferendosi a Bologna dopo essere stato licenziato
dalla ditta Fratelli Boccanera, spedizionieri marittimi.
Sui motivi del licenziamento non si sa molto, la ditta è
fallita nel 1993, e i due fratelli Boccanera sono decedu-
ti in un incidente stradale. Ad ogni modo Fazio sta cer-
cando di rintracciare chi lavorava nella ditta all'epoca
del licenziamento per saperne di più.
    Ho delle domande da farle.

La prima: quant'era alto Magnifico? Che tipo di corporatura aveva? Vede, se portava scarpe numero 42 o aveva il piede piccolo o non era un uomo d'alta statura. Può sapere se il tacco del mocassino superstite ha il rialzo? E se non ha il rialzo, può dirmi di quanti centimetri è il tacco? Mi scusi, ma non ho presente questo modello Tod's.

La seconda: può farmi sapere le misure esatte del sacchetto di plastica? La testa ci entrava appena appena o il sacchetto era largo?

La terza: il fatto che accanto alla testa del morto non c'erano frammenti di vetro è un'omissione nel rapporto? O non c'erano per niente?

La quarta: Silio Bozzi (che conosco di fama) sarebbe in grado di dirle se l'acqua che ha bagnato i capelli e la parte superiore della camicia è caduta su Magnifico mentre stava in piedi o era già steso a terra? Penso, ma vorrei conferma, che l'acqua sia caduta mentre Magnifico era in piedi, e quindi ancora vivo, perché Bozzi scrive che l'acqua, oltre ai capelli, ha bagnato «la parte superiore della camicia». Altrimenti, data la sua ben nota pignolaggine, avrebbe scritto non la parte superiore, ma «la parte anteriore della camicia», in quanto che il cadavere giaceva supino.

Mi faccia sapere.

Distinti saluti.

Salvo Montalbano

Potrebbe mandarmi una foto del cadavere nella cucina?

Cara Grazia,

riapro la busta per aggiungere questo foglio appro-
fittando che è notte e Livia è andata a dormire. Scusami
il tono ufficiale che ho in precedenza dovuto usare perché ho scritto la lettera mentre Livia gironzolava per casa e ogni tanto buttava l'occhio su quello che scrivevo.
Il fatto è che, arrivata da Boccadasse per qualche giorno di vacanza, ha casualmente letto la lettera con la
quale mi comunicavi il tuo indirizzo privato. E ha avuto una botta di gelosia inspiegabile. Ti ho dovuto quindi elencare una serie di domande in tono burocratico e
soprattutto senza fornirti il perché di quelle domande.
Scusami, ma in questi giorni vorrei starmene in pace
con Livia senza darle il pretesto di scassarmi i cabasisi.

– Se l'assassino ha portato via un solo mocassino, viene da dire che probabilmente (è un'ipotesi, bada!) quel mocassino conteneva qualcosa di molto importante, nascosto o nel tacco o tra il rivestimento interno e la parte superiore interna della suola.

– Non può essere che il sacchetto di plastica col quale Magnifico è stato soffocato abbia in precedenza contenuto i pesci rossi con relativa acqua? In certi giochi delle giostre uno dei premi è appunto un sacchetto di plastica con dei pesciolini rossi. O sto dicendo minchiate?

– I pesci rossi come sono arrivati nella cucina di Magnifico che li odiava? Certo non in apnea. Se non ci sono frammenti di vetro (vale a dire i cocci di una boccia ripiena d'acqua con dentro i pesci), questo avvalora l'ipotesi del sacchetto di plastica.

– Mi pare importante sapere se l'acqua dentro la quale c'erano i pesci rossi ha bagnato la testa e la parte superiore delle spalle di Magnifico, perché verrebbe a significare che il sacchetto con l'acqua e i pesci è stato infilato in testa al Magnifico mentre stava in piedi: i pesci evidentemente sono scivolati via con l'acqua. Ma sarebbe stato bellissimo se uno dei pesci fosse rimasto dentro il sacchetto. Te l'immagini Magnifico, che detesta i pesci ed è a loro allergico, che muore lentamente soffocato mentre un pesce si dibatte disperatamente sul suo naso, sulla sua bocca, sui suoi occhi? Non tenere conto di quello che ho appena scritto, fa parte delle mie personali fantasie.

– Tu sai quant'è importante «fotografare» con i propri occhi e la propria sensibilità l'ambiente nel quale c'è stato un delitto. Quindi sento il bisogno di avere almeno una foto della scientifica.

Cara Grazia, scusami ancora.
Un caro saluto,

Salvo

Riapro ancora la busta. Ma il tuo parere su tutta la faccenda qual è?

S.

Caro collega,

scusa se ti rispondo con tanto ritardo, ma dall'articolo del Carlino che ti allego alla fine capirai perché. Non ti preoccupare, cin lsa sinidstra riesco sia a battere sui tasti che a sparare, al massimo farò qualche errore di batitura (a sparare non ero comunqueun granché).

Comincio col rispondere a qualcuna delle tue domande. NON c'erano frammenti di vetro nella cucina. Lo so con certezza perché ho parlato con gli operatori della scientifica che sono andati sul posto (con Silio mi è stato impèossibile parlare: ci tengono d'occhio tutti e due). NIENTE VETRO, quindi. Non solo: indiscrezione dal labortatorio della scientifica (mi è costata una futura cena con il marpione Cinelli, che lo dirige, ma non è un problema, cin la inistra so tirare anche i cazzotti).

Nel sacchetto, di cui ti allego una foto rubata dal dossier mentre il marpione mi guardava le gambe, c'erano residui di mangime per pesci, tracce di squame di Carasius auratus (sono i peci rosi) e un'altra coa che nont i dico per non rovinarti la sorpresa (sta nell'estratto della prizia necroscopica che ti allego). Quello che penso: i pesci arrivano nel saccgìhhetto che viene infilato in testa al Magnifico. L'acqua se ne va sulla camicia, i pesci quasi (vedi perizia) e il Magnifico soffoca.

Per quanto riguarda le scarpe: bravo. Il numero non torna. Il Magnifico Arturo era alto 1,82 e da quanto ricordano quelli della scientifica aveva anche due belle fette. Ho controllato il primo verbale: c'è scritto che la scarpa era *infilata sul piede* e non *calzata*. Conoscendo anch'io la pignolaggine di Silio sono sicura che intendeva dire che il piede non era dentro la scarpa. Se potessi tornare su luogo del delitto e fare un controllo sulle scarpe che ci sono in casa scoprirei che Magnifico Arturo portava un altro numero. Allego una foto della Tod's repertata (rubata, il marpione era passato alle tette). La tua idea che contenessero qualcosa mi sembra un ottimo spunto investigativo.

Per la foto del cadavere non c'è stato niente da fare, non avevo più argomenti pe ril marpione. Ma c'è un giornalista che ne ha fatta una e vedrò di lavorarmi quello.

Perora è tutto, leggi la perizia.

Ciao,

G.

Caro collega,

hai attaccato anche a me questo vizio di riaprire le buste e metterci qualcos'altro, e credo che questo sia importante. Visto che me ne sto forzatamente in ferie per qualcvhe giorno, mi sono messa fare un paio di giri. Ho battuto i negozi di animali che tengono pesci tropicali cercandone uno che avesse venduto nello stesso giorno sia pesci rossi che una Betta Splendens. L'ho trovato. Sta dall'altra parte della città. Il negoziante mi ha mostrato lo scontrino che è stato emesso proprio il 27/05/2006, il giorno del delitto, alle ore 16.30. Mi ha anche mostrato i sacchetti che usa per il trasporto dei pesci e sono indentici a quello ritrovato in testa a Magnifico. Colpo di culo: il negoziante ricorda benissmo chi li ha comprati. Perché era una donna, una bella rossa sui trentacinque molto elegante e con due discrete tette (ma siete tutti così voi uomini?).

Ciao,

G.

p.s. Guarda che non è soltanto Livia che è gelosa. Io ho Simone che mi ronza atttorno e che anche se è un non vedente sente benissimo che scrivo e mi agito come una pazza. «A chi scrivi?», mi ha chiesto. «A un collega», gli ho detto, ma mi sa che non mi crede ed è meglio così. Ti dispiace se ti uso come sospetto amante? Le cose tra me e Simone non vanno molto bene in questo periodo e vorrei dargli una mossa. È un rapporto a cui tengo molto. Ma non voglio annoiarti con i miei casi personali.

Ciao ancora,

G.

Bologna, 30 giugno 2006

Gentile dott. La Pietra,
riassumo per sua comodità quanto emerso sulle cause della morte di MAGNIFICO ARTURO dalla necroscopia eseguita il 28/05/2006 su disposizione di codesta A.G.

– Il suddetto risulta deceduto per asfissia da soffocamento causa occlusione delle vie respiratorie provocata dal sacchetto di plastica repertato.

– L'asfissia è stata facilitata da un'ulteriore occlusione delle vie respiratorie in un primo momento sfuggita all'osservazione del medico legale intervenuto nell'immediatezza dei fatti ed emersa soltanto in sede di perizia autoptica.

– L'ulteriore occlusione è stata provocata da un esemplare di *Betta Splendens*, meglio noto come «pesce combattente», scivolato profondamente dentro la cavità orale del Magnifico.

Distinti saluti.

prof. Antonio Cipolla D'Abruzzo

SPETTACOLARE INCIDENTE SULLA VIA EMILIA
SALTA LO STOP E VIENE INVESTITA

BOLOGNA – Lo stop, i freni che non funzionano, il camion che arriva. Ha corso seriamente il rischio di morire Grazia N., ispettore di polizia presso la Squadra Mobile della Questura di Bologna, che ieri pomeriggio è rimasta coinvolta in un incidente sulla via Emilia nei pressi di San Lazzaro. La Fiat Panda condotta dall'ispettore si stava immettendo nella via Emilia quando è scattato il rosso al semaforo. La macchina dell'ispettore non è riuscita a fermarsi e ha attraversato in velocità la via Emilia proprio mentre un tir stava arrivando in direzione di Bologna. La Panda, speronata, ha compiuto numerosi giri su se stessa finendo per cappottarsi sul ciglio della strada. L'ispettore ha riportato alcune contusioni, un principio di commozione cerebrale e la frattura della mano destra. Sono ancora in via di accertamento le cause dell'incidente.

Cause da accertare un cazzo, mi hanno tagliato i freni. Ho controllato, l'autista del tir non c'entra. Per me volevano darmi solo un avvertimento. Ma per cosa?

POSTE ITALIANE – BOLOGNARECAPITO

ZCZC GTI105 016/2F
IGRM CO IGMI 022
0922 VIGATAFONO 22 04 1055
04/07/2006

GRAZIA NEGRO (11322)
SQUADRA MOBILE
QUESTURA DI BOLOGNA

APPRENDENDO GRAVE INCIDENTE OCCORSOLE SONO
LIETO SIASI RISOLTO RELATIVAMENTE BENE FORMU-
LO AUGURI PRONTA GUARIGIONE E MECO SI ASSOCIA
L'ECCLESIASTICO CHE LEI CONOSCE DA 11 ANNI E CHE
ABITA NELLA MIA STESSA STRADA 31/33 ANCORA AU-
GURI
SALVO MONTALBANO

MITTENTE
SALVO MONTALBANO
COMMISSARIATO POLIZIA
VIGATA (MONTELUSA)

Cara Grazia,

sono un'amica di Salvo Montalbano, mi chiamo Ingrid e sono di passaggio a Bologna. Salvo mi ha pregato di mettermi in comunicazione con te non per telefono ma attraverso questo biglietto, che infilerò direttamente nella tua cassetta delle lettere.

Sono ospite in casa di un amico, in via Saragozza al numero 52, ma sto ripartendo. Ho lasciato in portineria un pacchetto con sei cannoli che ti manda Salvo, il quale ti prega di mangiarteli tu sola, _senza offrirne agli amici._

Ingrid

Cara Grazia,

spero che tu non abbia ingoiato questa lettera che avrai trovata dentro a un cannolo. E scusami se è scritta a caratteri piccoli, ma non potevo fare diversamente per farcela stare dentro. A proposito, erano ancora mangiabili i cannoli? Spero anche che tu abbia capito chi era l'Ecclesiastico del telegramma che mi sono affrettato a mandarti quando ho saputo dell'incidente. È l'Ecclesiastico, 11, 31-33 del Vecchio Testamento, che recita suppergiù: *non fare entrare nessun estraneo in casa tua perché egli vuole danneggiarti*.

Tu capisci che non è mio costume fare ricorso a citazioni bibliche, ma devo confessarti che sono abbastanza preoccupato. Perché vedi, tu, sotto al ritaglio di giornale che mi hai inviato, scrivi che si è trattato di un avvertimento. Chi te lo dice? Come minchia facevano a calcolare che, coi freni tagliati, te la saresti cavata solo con una mano fratturata e un principio di commozione cerebrale andando a sbattere contro a un tir?

No, mia cara. Secondo me, quelli volevano ammazzarti e tu hai avuto una gran botta di culo.

Ricordati che, in questa storia, già due persone sono morte in un incidente automobilistico: mi riferisco ai fratelli Boccanera, spedizionieri marittimi ed ex datori di lavoro del Magnifico. Può darsi che tra i due fatti non ci sia nessuna relazione, ma può anche darsi di sì. Perché vedi, cara Grazia, a far morire le persone in incidenti automobilistici non ci si mette solo il destino ma spesso e volentieri ci si mettono i famosi servizi deviati. E io comincio a sentire la puzza specialissima che quella gente sparge attorno a sé.

Ora comunque sia il fatto che abbiano attentato alla tua vita rende tutto assai più complicato. Perché è chiaro che hai messo il dito dentro a un bel pezzo di merda. Chi sta dietro a tutto questo vuole evidentemente che la conclusione dell'indagine per la morte del Magnifico sia ben pilotata senza il rischio d'interferenze pericolose come possono essere le tue o le mie. Ecco perché sto prendendo tutte queste precauzioni che forse, data la tua giovinezza, ti sembreranno ridicole. Ma se anche tu, scrivendomi, escogitassi qualcosa, non sarebbe male.

Mi sono fatto persuaso che QUALCUNO NON TE LA STA CONTANDO GIUSTA SULLA MORTE DEL MAGNIFICO.

Facciamo a capirci, Grazia. I vari referti ti dicono che il Magnifico è morto per asfissia perché gli hanno infilato un sacchetto di plastica in testa. Ora il Magnifico era un cristone di 1 metro e 82. Come hanno potuto farlo senza averlo prima stordito in qualche modo? Possibile che non ne risulti traccia? Nei primi sommari rilevamenti della scientifica che mi hai mandato si fa cenno a un livido al polso sinistro sulla natura del quale si promettevano accertamenti. Tu li hai avuti? Cos'è insomma quel livido? Oppure l'avevano fatto bere? Ma insomma, mi pare da escludere che siano riusciti a convincerlo a infilarsi da solo il sacchetto in testa.

Quando sono arrivato all'ultimo punto del rapporto dell'Istituto di medicina legale sulla necroscopia di Arturo Magnifico, dove si dice che l'ulteriore occlusione delle vie respiratorie è stata provocata da un esemplare di Betta Splendens «scivolato profondamente» dentro la cavità orale della vittima, quel puzzo di servizi si è fatto tanto forte da darmi il voltastomaco. Non vorrei sbagliarmi, ma credo purtroppo di sapere il nome della donna che ha comprato il sacchetto coi pesci rossi, quella rossa sui trentacinque elegante con le belle minne. Le belle minne ce le ha sempre, ma non sempre è rossa, certe volte è bionda, altre bruna. Torna dal commerciante (che deve averla osservata bene la cliente) e chiedigli se ha notato un piccolo neo accanto all'occhio sinistro della signora. Se ti risponde di sì, ti supplico, Grazia: tirati fuori immediatamente da questa storia.

Salvo

Questo foglio sarà unto di ricotta, ma spero leggibile.

S.

Cara Grazia,

non potendo riaprire la busta, apro un altro cannolo.
Sempre nella speranza che tu non inghiotta il biglietto. Ti volevo informare che ho comprato un paio di scarpe uguali a
quella della foto che mi hai mandato. A una ho levato il tacco. C'è lo spazio bastevole per nasconderci tutto quello che
si vuole, dai documenti ai microfilm. Quindi, a mio parere, il
movente dell'omicidio è proprio l'impadronirsi di quello che
il Magnifico teneva nascosto nel tacco. Scusa il cattivo ita-
liano, ma Ingrid mi fa fretta. Ho incollato il tacco con l'At-
tak e ho regalato le scarpe a Catarella.

S.

«A.F. TAMBURINI»

ANTICA SALSAMENTERIA BOLOGNESE

Via Caprarie, 1 – 40124 Bologna

Tel +39 051 234726 – fax +39 051 232226

Gentile Cliente,

voglia gradire questo omaggio gastronomico consistente in 1 kg di tortellini fatti a mano secondo la più antica tradizione bolognese.

Il Suo nominativo ci è stato segnalato come «buona forchetta» dal sig. *Carlo Lucarelli*, nostro abituale cliente.

Con la speranza di farLe cosa gradita, La saluto cordialmente.

Buon appetito!

Giovanni Tamburini

Caro Salvo,

sono riuscita a mangiare i cannoli senza strozzarmi con i biglietti, spero che tu gradisca i tortellini che ti invio con la complicità degli amici Tamburini e Lucarelli. Scusa se scrivo piccolo ma cerco di far stare sul cabaret più notizie possibile.

Allora: sì, la tettona ha un neo all'occhio sinistro, il negoziante se lo ricorda anche se non era proprio quello che stava guardando. Chi è? Hai ragione tu, qualcuno non me la racconta giusta. Ho parlato con il medico legale e ho scoperto che la perizia che abbiamo agli atti non è quella che ha redatto lui. O meglio, non è tutta lì. C'è un'integrazione che è sparita e che analizzava quel livido al polso sinistro e lo attribuiva al cinturino di un orologio strappato o torto con forza. Per prenderlo, visto che non c'è più.

E poi c'è l'esame tossicologico. Sì, nel sangue del Magnifico risulta un tasso d'alcool che se la stradale gli avesse fatto il test avrebbe fatto scoppiare l'etilometro. L'hanno fatto bere, e per me l'ha fatto bere la tettona (ripeto: ma siete tutti così voi uomini?).

Per quanto riguarda il tuo invito a tirarmene fuori, troppo tardi, caro commissario, ormai ci sono dentro e voglio arrivare in fondo. E non perché sia un rambo, ma perché sono curiosa, e non posso farci niente.

Così sono tornata sul luogo del delitto e tadaan! ho beccato la signora Cefoli. Credo che ce ne sia una in ogni palazzo e soprattutto in Emilia. La Cefoli è quella che quaggiù chiamano una «cazziana», vale a dire una che non si fa mai i cazzi suoi. E per fortuna. La signora era alla finestra della casa di fronte, attorno alle 22, e ha visto una donna uscire dal numero 4 di via Altaseta. Non ha notato le tette, ma ha visto che era in compagnia di un tizio pelato piuttosto robusto con il pizzetto. Aveva un orologio in mano, che si è messo in tasca.

Ora, qui viene il bello, anzi, il brutto. Questa sommaria informazione testimoniale la Cefoli l'aveva già resa. Non al collega della volante che è arrivato ma a un altro collega di cui non ricorda il nome e che se l'è tenuta in tasca, visto che non è mai arrivata agli atti. Mi sa che hai ragione tu, caro commissario, qui c'è puzza di servizi.

Hai notizie dell'amico del Magnifico? Visto la fine che hanno fatto i fratelli Boccanera mi pare che tiri una brutta aria anche a Palermo e mi sembra strano che abbia scelto proprio quella città per una vacanza.

Ho fatto anche un'altra cosa, e tu puoi capire quanto mi sia costata: sono andata dai carabinieri. Te l'avevo scritto che secondo me i cugini si erano tenuti qualcosa, e infatti era vero.

Ho parlato con un maresciallo amico mio e ho scoperto che i ciccì non si sono interessati alle indagini solo per motivi di concorrenza. C'è un brigadiere che stava di servizio a Trapani, non si sa bene a fare cosa, che si è suicidato due settimane fa. I cugini hanno i tabulati delle chiamate del brigadiere e ce ne sono parecchie all'utenza del Magnifico. E sai come si chiama il brigadiere, anzi, come si chiamava? PESCI. Proprio così. Vincenzo Maria Pesci.

Allora, lo so che adesso dirai che sono un'ingenua a fare tutte queste domande in giro e soprattutto ai carabinieri, ma io ti dico che non sono un'ingenua, perché l'ho fatto apposta. Magari sono pazza, ma non ingenua. Voglio vedere che succede, se qualcuno esce allo scoperto e a che livello. Perché qui ci sono un sacco di atti e di notizie che sono state occultate. Chi è stato? Un collega? Il mio dirigente? Il magistrato?

Da domani sono di nuovo in servizio, con gli occhi e le orecchie aperte. Ho messo in mezzo anche qualche amico fidato che mi guardi le spalle. Se c'è qualcosa di strano me ne accorgerò.

Ciao e a presto,

P.S. Mangiali subito i tortellini, perché non reggono molto. Lucarelli mi obbliga a scriverti anche la ricetta per il brodo, che non ti venga in mente di mangiarli asciutti, magari con la panna. Dice che è come li fa la sua mamma: un po' di muscolo di manzo, un po' di gallina (non di cappone perché se no viene troppo saporito, deve restare leggero per non coprire i tortellini), un pezzetto di lingua, ossa, sedano e carota. E schiumarlo ogni tanto. Tra cannoli e tortellini in brodo più che un'indagine questa comincia a sembrare un libro di cucina.

Grazia, dovresti anche tu usare l'antico modo
di fare il brodo per i tortellini o trovare il sistema
di decifrare con calma e molta pazienza
antiche ricette delle nonne. Ne vale la pena.
Catarella verrà uno dei prossimi giorni
con me in vacanza forse sulle Dolomiti,
di pirsona pirsonalmenti.
Ci ho pensato a lungo, credimi, ma
è una precauzione assolutamente indispensabile
lasciato solo a Vigata certo farebbe guai.
Con una lunga letterona mia
ti descriverò i particolari della vacanza.

Salvo

13 luglio

Cara Grazia,

spero che tu abbia facilmente decrittato il mio biglietto nel quale, col vecchio sistema delle scuole elementari, vale a dire scrivendo il messaggio un rigo sì e uno no, ti annunziavo l'arrivo di Catarella con una mia lunga lettera. Certe volte i sistemi più infantili si rivelano essere i più sicuri. A mio avviso, la situazione nella quale ti sei cacciata è estremamente seria. Prima ne avevo solo il timore. Ora, dopo la tua lettera coi tortellini (ringrazia Lucarelli, ho fatto eseguire da Adelina la ricetta che mi ha gentilmente mandato. Squisiti!), ne ho l'assoluta certezza.

Ti mando un ritaglio di giornale che parla del suicidio del brigadiere Vincenzo Maria Pesci. Guarda, Grazia cara, che il fatto del cognome del brigadiere è una semplice coincidenza. Ci potrei mettere il carico da undici facendoti sapere che il Pesci era nato sotto il segno dei Pesci e che mangiava solo pesce, dato che la carne lo disgustava. Meglio lasciar perdere. Quella è una strada che porta a Vanna Marchi. Leggi il ritaglio prima di andare avanti.

L'hai letto? Ho tagliato male il foglio, manca il rigo finale dov'è detto che corre voce che Pesci era oberato dai debiti essendo un incallito giocatore d'azzardo. Tutto secondo copione. E se ora ti dicessi che tra i pesci del colonnello Infante c'era un esemplare di Betta Splendens? E che il colonnello Infante non è mai andato in congedo, come lui stesso ha detto in giro, ma continua a far parte dei servizi?

La mia idea, e non ho dovuto fare molti sforzi per averla, è che stanno tagliando qualche ramo e che la potatrice chiamata a compiere l'opera è ELISABETTA GARDINI detta BETTA, la quale firma sempre il suo lavoro lasciando sul posto un esemplare di Betta Splendens o se lo trova già lì, tanto meglio. Lo so che esiste un'altra Elisabetta Gardini che fa l'attrice e la portavoce politica, ma non so che farci, si tratta di un caso di omonimia.

Ti ho fatto una piccola scheda della Gardini.

GARDINI ELISABETTA – Nata a Pordenone il 3 settembre 1970, studia al liceo della sua città poi si laurea in scienze politiche a Venezia. Nel 1989 viene eletta Miss «il più bel seno del Friuli-Venezia Giulia». *(Nota fuori scheda: c'è dunque una ragione se la chiamano la tettona.)* Subito dopo l'università, vince un concorso per entrare in Polizia. Si dimette dopo avere raggiunto rapidamente il grado di vicecommissario. E sparisce dalla circolazione. Un mio amico molto addentro alle cose dei servizi italiani e stranieri, Alberto Ari (detto «Mata-Ari»), mi ha parlato a lungo della nostra Elisabetta. Tiratrice formidabile, esperta d'arti marziali, è stata reclutata a peso d'oro dalla Seconda Divisione del Sismi. Anche da lì è andata via per passare, pare, a un gruppo ristrettissimo adibito ai lavori più sporchi. Alberto le assegna sicuramente tre omicidi. Quello del maggiore Menegozzi che affogò, per un presunto malore, dentro la sua vasca da bagno. Quello di Heinz Lussen, che morì annegato con altre tre persone per l'improvvisa rottura di un vetro dell'acquario di Amburgo (tra i pesci c'erano parecchi esemplari di Betta Splendens). Quello di Amilcare Benti, che cadde dentro il pozzo della sua casa di campagna a Seggiano (GR). Betta Gardini fa trovare alle sue vittime la morte per acqua.

Vogliamo allungare la lista di Ari aggiungendovi i nomi di Vincenzo Pesci e di Arturo Magnifico?

La Gardini ha tali e tante coperture (credo persino tra le Guardie Forestali e quelle Svizzere) che può mostrare impunemente il suo neo anche al negoziante di pesci rossi.

La testimonianza della Cefoli è preziosa. Nella cassa dell'orologio strappato al Magnifico doveva esserci qualcosa (un microfilm?) decifrabile attraverso un codice contenuto nel tacco della scarpa.

Ti pare un'idea da film alla 007? Tieni presente che

da noi è stato possibile il rapimento in pieno giorno di Abu Omar con la partecipazione della Cia e del Sismi. E ti dice niente il suicidio (?) di Bove, che aveva permesso alla Digos di capire le malefatte del Sismi, dall'alto di un cavalcavia? Secondo me, Pesci e Magnifico erano in combutta e si servivano di certi documenti in possesso del Magnifico per ricattare i servizi. Betta ha fatto pulizia. Può darsi però che mi sbagli. Dimmi tu.

Tieniti lontana anche dalle pozzanghere.

Salvo

18 luglio

Cara Grazia,
    ho dovuto riaprire la busta, devi correggere il mio messaggio. Invece di Catarella ti vedrai comparire Mimì Augello, il mio vice. Le cose sono andate così. Riluttante com'è a pigliare l'aereo, Catarella ha preso a Palermo un lentissimo treno che arriva quarantotto ore dopo, o poco meno, a Milano. A un giorno dalla partenza, Fazio ha ricevuto una sua telefonata. Si era addormentato e poi, svegliatosi mentre il treno era fermo a una stazione che non ha capito qual era, è sceso di corsa. Il treno è ripartito e lui si è trovato alla stazione di Firenze. Allora ha telefonato chiedendo istruzioni. Fazio gli ha consigliato di prendere il primo treno che andava

a Bologna. Dopo un'altra giornata, abbiamo ricevuto una seconda telefonata disperata. Veniva da Reggio Calabria. Catarella non aveva preso un treno *per* Bologna, ma *da* Bologna. Conclusione, l'abbiamo dovuto recuperare chiedendo la collaborazione della Polfer.

Proprio quando ci avevo perso le speranze, Mimì mi ha chiesto tre giorni di permesso per andare a Bologna a trovare un suo amico molto ammalato. Ne ho subito approfittato per dargli la lettera destinata a te.

Stai attenta che:

a) Mimì è completamente all'oscuro dei nostri traffici.

b) Tu sei per me («...la più bella del mondo», continuerebbe don Marino Barreto Jr) un'amica di Livia che ha un problema.

c) Mimì Augello è un fimminaro, vale a dire che va appresso non ad ogni gonna, ma al contenuto di essa. È solo un avvertimento, per il resto fatti tuoi, sei maggiorenne e credo anche vaccinata.

Salvo

INSOLITO SUICIDIO DI UN BRIGADIERE DELL'ARMA

PALERMO – Il brigadiere dei Carabinieri Vincenzo Pesci, di anni 42, in servizio presso il Comando provin-
ciale CC di Trapani, si è ieri mattina recato a trovare in
visita di cortesia un suo vecchio comandante, il colonnello in congedo Mario Infante, il quale vive ad Aspra
in una sua villa. Dopo aver pranzato con il brigadiere,
che appariva sereno, il colonnello Infante si ritirava per
il riposo pomeridiano. Svegliatosi dopo un'ora e sceso
in giardino, l'Infante rinveniva il corpo del brigadiere
in una grandissima vasca di pesci tropicali che egli possiede. Vani sono stati i soccorsi. Non può che trattar-
si di un gesto disperato, anche perché la vasca è protet-
ta da una lunga ringhiera piuttosto alta. Circa le cause
del suicidio, abbiamo avuto modo di raccogliere delle
voci le quali asseriscono che il Pesci era oberato dai

QUESTURA DI BOLOGNA
SQUADRA MOBILE

DA: isp. capo GRAZIA NEGRO
A: dott. SALVO MONTALBANO c/o COMMISSARIATO DI
   VIGATA
OGGETTO: richiesta informazioni colonnello in conge-
   do INFANTE MARIO

Caro collega,
   con la presente vengo a chiederti cortesemente informazioni sul personaggio in oggetto meglio generalizzato, che ritengo utili al chiarimento di un'indagine riservata dei cui particolari non posso ancora renderti edot-
to. Riguarda una vicenda di cui ti parlerò a tempo debi-
to e ti sarei grata se volessi aderire alla mia richiesta senza farmi domande.
   Ti saluto e ti ringrazio,

                                    Grazia Negro

Caro Salvo,

hai ragione tu, i vecchi sistemi sono sempre i migliori, per cui non ti lamentare se adesso ti stai cavando gli occhi a leggere la mia calligrafia minuscola e così sbiadita, dovevo farci stare un sacco di cose dietro questa cartolina e l'inchiostro simpatico non è esattamente una stampa al laser. Allora, rispondo alle due domande che sicuramente ti sei fatto. La prima riguarda l'occhio nero del tuo amico Augello. No, non gliel'ho fatto io. Avevi ragione, il bel Mimì si dà un sacco da fare con le donne, ci ha provato subito anche con me, tanto che neppure la scusa che ero lesbica (cosa che alcuni miei colleghi pensano) è bastata. Ho dovuto dirottarlo sulla collega Balboni, più attraente di me, che lesbica lo è davvero, oltre che campionessa interforze di kick-boxing. L'occhio nero glielo ha fatto lei.

La seconda è no, non sono impazzita. Ti ho mandato la richiesta ufficiale di informazioni per uscire allo scoperto. Ho anche lasciato la minuta della lettera sulla mia scrivania in modo che il mio dirigente la vedesse, e infatti adesso sono in ferie forzate e più o meno ufficialmente sospesa dal servizio. E sono sicura che anche la lettera che ti ho mandato è stata intercettata (come avrai notato ho specificato che tu non sai niente di niente, non voglio metterti in pericolo).

Ho fatto questo perché sono arrivati fino a me. Da un paio di giorni ho una nuova vicina di casa. Con un bel neo, molto carino. Ha un altro cognome, ma si chiama Betta lo stesso. Allora, piuttosto che fare da bersaglio preferisco fare da esca. Approfitto delle vacanze forzate e fra qualche giorno (giusto il tempo di aspettare la tua risposta, che vedrò di procurarmi gironzolando in questura senza dare troppo nell'occhio) vado al mare a Milano Marittima, dove la collega Balboni ha una casa. Ci vado con la mia pistola e con la collega (ci siamo già chiarite una volta e non ci prova più) e li aspetto lì.

Spero che ci sentiremo presto.

Con affetto,

OGGETTO: colonnello in congedo Infante Mario
PROT: 456/R129

Cara collega,
purtroppo non ~~posso~~ sono in grado di fornirti che scarse informazioni sul colonnello in congedo Infante Mario.
Egli è nato a Palermo il 5/02/1941. Essendo stato il padre Filippo, prefetto dell'allora Regno, trasferito a Napoli, ha potuto frequentare la famosa scuola della Nunziatella, avviandosi così alla ~~vita~~ carriera militare. Che è stata molto brillante, tanto da diventare addetto militare, per quattro anni a partire dal 1985, nella nostra ambasciata di Washington. Pochi mesi ~~appresso~~ dopo il suo rientro in Italia è stato <u>ufficialmente</u> messo in congedo dietro sua richiesta.

Non si è mai sposato. La sua residenza è a Palermo in via G. Nicotera 22 bis. Si reca assai spesso all'estero perché è vicepresidente di una società di import-export, la ~~Transpeuro~~ Transeuro.

Possiede, oltre alla villa di Aspra, anche una grande cascina in un vasto appezzamento a Pian dei Cavalli, confinante con il casolare dove è stato arrestato Bernardo Provenzano.

Curiosa coincidenza, il colonnello è proprietario di un cavallo che chiama Svetonio.

Altro non ~~sono in grado di dirti~~ so di lui.

~~Molto cordialmente~~ Cordiali saluti.

Salvo Montalbano

21 12 / 6 16 14 22 15 12 6 16 /
6 11 8 / 11 16 / 17 19 8 20 16 /
12 15 / 4 9 9 12 21 21 16 / 22 15 /
4 17 17 4 19 21 4 14 8 15 21 16 / 4 /
14 12 13 4 15 16 / 14 4 19 12 21 21 12 14 4 /
12 15 / 23 12 4 / 19 16 14 4 / 15 22 14 8 19 16 / 31 /
4 / 15 16 14 8 / 10 12 16 19 10 12 16 /
6 16 20 21 4 /

OGGETTO: Colonnello in congedo Infante Mario
PROT: 456/RI29

Cara collega,
   sono veramente mortificato, ma l'ineffabile Catarella ti ha spedito la brutta copia della mia risposta alla tua richiesta d'informazioni sul colonnello in congedo Mario Infante.
   È inutile che ti ritrascriva le informazioni, le puoi leggere lo stesso. Scusami per le cancellature e per quegli incomprensibili numeri in calce che sono miei appunti su turni, ferie, ecc.
   Ti saluto.

Salvo Montalbano

Ieri sera, tornando a casa, ho trovato la tua lettera infilata sotto la porta del mio appartamento. Segno che hai saputo decifrare il (del resto facile) codice che Provenzano adoperava nei suoi pizzini.

Mi trovo a Milano Marittima ormai da due giorni e disperavo di avere tue notizie. Tra l'altro nell'ultima lettera che mi hai fatto avere mancava l'indirizzo dell'appartamento nel quale saresti venuta ad abitare con la tua amica. Ieri finalmente ti sei degnata di comunicarmelo. Credo che ci troviamo abbastanza vicini. Il che può essere tanto un bene quanto un male. Qui per due giorni mi sono annoiato mortalmente. Vedi, per me Milano e Marittima costituiscono un ossimoro assai difficile da accettare.

Tu mi fai sapere che la nostra Betta ancora non è arrivata. Il che significa che sai dov'è la sua abitazione e la tieni d'occhio.

Potrei avere l'onore di saperlo anch'io?

Sarei contento, non te lo nascondo, se Betta non arrivasse. Perché penso che il tuo offrirti come esca sia un'autentica pazzia. Ad ogni modo non ho nessuna intenzione di lasciarti sola in questa avventura che mi costerà parecchio. Non parlo come commissario, ma come uomo. Prima di partire, ho lasciato l'indirizzo di M.M. a Mimì Augello. Non so come, Catarella dev'esserne venuto a conoscenza. Bene, la prima sera che sono arrivato qua ho telefonato col cellulare a Livia, non dicendole che mi trovavo a M.M. ma a Vigàta e che stavo facendo una passeggiata sulla spiaggia. Ma Livia deve avermi subito dopo richiamato e, non trovandomi, avrà insistito senza ricevere nessuna risposta. Sicché, preoccupatissima, la mattina dopo ha telefonato in commissariato e Catarella le ha spiattellato ch'ero qua. Figurati! Mi ha chiamato furibonda, è convinta che io stia vivendo un'avventura e minaccia d'arrivare da un momento all'altro. Quindi bisogna sbrigarsi. Ho pensato che Betta non potrà agire contro di te se prima non si sarà procurata un esemplare di Splendens da lasciare (fai i debiti scongiuri) accanto al tuo cadavere.

Escludo che possa portarselo appresso in un acquario a mano (esistono?) e quindi dovrà accattarlo qua. A M.M., girellando, ho visto che ci sono due negozi d'animali. Nessuno dei due vende pesci da acquario. Ma ho visto dai manifesti che ci sono in giro che domani s'aprirà una grande mostra di pesci tropicali in uno spazio di via Sempione 13. Sono sicuro che Betta tenterà di rubarne un esemplare.

Come possiamo sfruttare la cosa a nostro favore?

Ora entro in una materia delicata. La dobbiamo «fermare» prima che entri in azione contro di te o mentre sta agendo? In ogni caso, ti vorrei far notare che ho messo il fermare tra virgolette.

Perché fermare Betta significa semplicemente ammazzarla. Non abbiamo altra scelta. Non possiamo dirle «mani in alto, polizia!» e metterle un bel paio di manette. Dopo due giorni quella è libera (lascia fare ai servizi) e noi invece saremo nella merda. Vai a spiegare tutta la faccenda ai nostri superiori! Non solo dovremo ammazzarla, ma dovremo anche farne sparire il corpo. Insomma, se vogliamo venire fuori da questa storia, bisogna che di Betta, dopo, nessuno sappia più nulla. Volatilizzata.

Vedremo come fare, una mezza idea ce l'avrei.

E qui una domanda: è giusto coinvolgere la tua amica in un'impresa così? Direi che potremmo servirci del suo aiuto fino a un certo punto. Mi spiego meglio: forse è più giusto che lei non sia presente, e quindi non abbia responsabilità, al momento nel quale noi dovremo liquidare Betta.

Infine: questo sistema di infilarci reciprocamente le lettere sotto la porta non va. Qualcuno potrebbe vedere te o la tua amica aggirarsi nei miei paraggi (o viceversa vedere me aggirarsi nei vostri) e riferire. Non credo infatti che Betta agisca da sola, avrà sicuramente dei collaboratori, degli informatori. Troviamo un altro sistema per comunicare. Mai più ti scriverò una lettera così lunga, forse in questi due giorni sono stato troppo solo e avevo gana di sfogarmi. Scusami per averti rotto i cabasisi. Naturalmente, brucerai questa lettera dopo averla letta. Anzi, come direbbe Marx (non quello del Capitale, l'altro) sarebbe meglio se la bruciassi prima di leggerla.

Salvo

Sappi che Giorgio Costa è un ragioniere preciso preciso. E per questo si è portato appresso il PC e la stampante.

HAPPY HOUR

dal lunedì al giovedì
18.30-19.30

Bagno
La Perla

Milano Marittima

Goditi il tramonto con noi!

Happy Hour
Cocktail 5 euro
Cocktail & Aperitivo 8 euro

Disco funky con Dj Oleg e Mamed
Special Guest: Les Pétasses dj set

Caro collega,

scusa se ricorro ancora a un messaggio infilato sotto la porta ma vado di fretta, mi trovo in mano questo volantino e non ho tempo di inventarmi un sistema migliore. Ci sono novità ed è urgente che le sappia anche tu.

Vai alla pensione Esedra (via Paganini 2) qui a Milano Marittima e ritira una busta a nome:

DI GENNARO

Attento collega: *non ci andare di persona*. *Manda qualcuno* e stai attento che anche lui non sia seguito. Nella busta troverai spiegazioni.

Ciao,

Grazia

SIG. DI GENNARO

HOTEL ESEDRA
Via Paganini 2
48016 Milano Marittima (RA) – Italy
info@hotelesedra.com

Caro collega,
   *purtroppo la situazione si è complicata parecchio, e
capirai in che senso appena avrai dato un'occhiata al
materiale che ti allego.*
   Sai dove l'ho trovato?
   Nella borsa della Betta.
   *Il suo indirizzo non te l'avevo ancora dato perché fi-
no a ieri non lo sapevo; ero solo certa che non fosse arrivata perché tenevo d'occhio la zona intorno al mio appartamento, sicura che sarebbe venuta a piazzarsi nelle*

vicinanze, come aveva fatto a Bologna: e infatti appena è arrivata l'ho beccata (residence Caraibi, stessa strada mia). Volevo avvertirti ma poi abbiamo avuto un altro colpo di fortuna.

Dei tizi in motorino hanno scippato la Betta sotto casa, lei gli è corsa dietro ma li ha persi, però c'eravamo anche io e la Balbo, li abbiamo bloccati più avanti e ci siamo fregate la borsetta.

Dentro, a parte un po' di spiccioli, un rossetto, un pacco di kleenex e un mazzo di chiavi, c'era questa roba qua:

NEGRO GRAZIA
Ispettore Capo P.S., Squadra Mobile Bologna
DATA E LUOGO DI NASCITA: 24 marzo 1975, Nardò
  (LE)
INDIRIZZO: via Battisti 31, Bologna (BO)
CELL.: 335.25619007
RELAZIONI SENSIBILI: MARTINI SIMONE, convivente
  (30 anni, insegnante, cieco)

MONTALBANO SALVO
Commissariato Polizia di Vigata
DATA E LUOGO DI NASCITA: 6 settembre 1950, Catania
INDIRIZZO: Marinella, Vigata (Montelusa)
CELL.: 335.13052008
RELAZIONI SENSIBILI: BURLANDO LIVIA, fidanzata
non convivente, impiegata presso SCR import-export
di Genova, abitante a Boccadasse (GE)

Siamo carini, vero? Sì certo, siamo un po' sgranati ma credo che sia colpa della trasmissione via mail (o forse la stronza non ha cambiato la cartuccia della stampante). E chissà cosa mi era successo per avere la faccia così stralunata (o ce l'ho sempre?) però siamo <u>noi due</u>, collega (e tralascio il fatto che sappiano tutto, compresi i rispettivi fidanzati), <u>tutti e due</u>, collega, <u>anche te</u>.

Ti conoscono e ti stanno pensando affettuosamente, come vedi.

È per questo che ho lasciato l'appartamento e ho fatto perdere le mie tracce, mentre la Balbo è rimasta a casa a fare da specchietto per le allodole. Sono sicura che non mi hanno seguito.

Questa notte ho dormito in un lettino in spiaggia (non sai che freddo) e qui all'Esedra ho preso una camera solo per lasciare la busta alla reception. E adesso sono già da un'altra parte. Un conto è stare lì a fare da esca, un altro è se le esche siamo due. Finisce che pigliano due piccioni con una fava.

Quanto alle tue riflessioni su come «fermare» Betta: sono d'accordo. Mi è già successo una volta di farlo con qualcuno che non potevo arrestare. Non è una cosa che ricordo volentieri ma sono ancora convinta di aver fatto la cosa giusta. Prima, però, vorrei capire esattamente cosa ci sta succedendo. Anche per proteggere Simone e Livia. E credo che la stronza sia l'unica in grado di dircelo.

Mi piace la tua idea di sorprendere Betta alla mostra dei pesci tropicali questa sera, ma dovremo fare qualche variazione. Adesso, caro il mio commissario Montalbano, sia tu che io siamo dei bersagli.

Grazia

P.S. Tanto per metterci in pari con la nostra amica ti mando un regalo da parte della Balboni, che non solo è brava a bloccare scippatori in motorino, ma anche a scattare foto di nascosto.

Se la prende comoda, la stronza!

Non ci sbavare troppo, collega, e scusa la stampa su carta ma non abbiamo i mezzi dei servizi.

Appena mi fermo in un posto sicuro te lo faccio sapere in qualche modo. Tu intanto fatti venire un'idea.

Cara collega Balboni,

sono costretto a ricorrere al vecchio sistema della lettera infilata sotto la porta perché non conosco l'attuale indirizzo di Grazia e ho assoluta necessità di dirle alcune cose. Poiché nella borsa di Betta non è stata trovata una scheda a te intestata, è da presumere che non hai destato il suo interesse. Quindi tu sei pulita. E stai tranquilla che lo sei ancora, perché non sono venuto di persona a mettere la lettera sotto la tua porta, ma ho corrotto un ragazzino (ha voluto dieci euro, il garruso). Se mi avessero visto entrare nel portone di casa tua, probabilmente ti avrei compromessa in modo irreparabile.

La situazione non è semplice.

Grazia si è data alla latitanza e lo stesso ho fatto io appena ho visto la mia foto ritrovata nella borsa. Ti sto infatti scrivendo seduto nella sala interna di un caffè fuori mano. C'ero già stato per caso l'altro giorno perché avevo visto l'insegna «Pasticceria siciliana». I cannoli sono buoni. Ho stretto amicizia con la signora Giuseppina, proprietaria-cassiera. Che mi crede il ragionier Costa, costretto ad allontanarsi dai patrii lidi perché ha qualche problema con la giustizia. Pensa che io in qualche modo abbia a che fare con la mafia e ne è rimasta affascinata.

Tu dunque sei l'unica che possa tenere i contatti tra Grazia e me. Siccome certamente saprai dove trovarla, è importante farle sapere con estrema urgenza che:

1) Stasera, alla mostra dei pesci tropicali, né io né lei dobbiamo farci vedere. Non sarebbe prudente, Betta ci conosce benissimo grazie alle foto, anche se non sono più in suo possesso. Propongo che ci vada tu, cara Balboni, al posto nostro. Poi ci dici se Betta c'era e qual era il suo atteggiamento. E inoltre fai una pianta dei locali della mostra, degli accessi anche secondari, ci dici quanti guardiani ci sono e dove si trovano dislocati.

2) È importantissimo che tu, Balboni, segua Betta, sempre che venga, quando esce dalla mostra. Bisogna individuare dove abita. E se è sola o in compagnia. Io penso che non abbia compagnia, lei ama agire sempre da sola, ma presumo possa avere degli informatori che la tengono aggiornata sui nostri movimenti.

3) Mi era venuta in mente la possibilità che Grazia e io comprassimo due cellulari nuovi per comunicare direttamente. Ma così come fino ad oggi non abbiamo adoperato, direi guidati dall'istinto, telefoni né fissi

né mobili, ho pensato che fosse saggio continuare. Le intercettazioni sono fin troppo facili. Non ci resti che tu, cara Balboni. Quindi mettiti subito in contatto con Grazia, comunicale quanto ti ho detto. Che mi scriva la sua risposta con le sue osservazioni e infili il foglio in una busta indirizzata al rag. Costa. Questa busta la dovrai portare tu, al massimo tra due ore, alla signora Giuseppina, la cassiera del caffè «Pasticceria siciliana» in via Moro 14. Ora, mentre scrivo, sono le 11 del mattino. Tra mezz'ora avrai la lettera. Quindi hai abbastanza tempo. Quando tu porterai la lettera, io mi sarò allontanato dal caffè. Ci tornerò per leggerla e scrivere la risposta che tu ritirerai per darla a Grazia. Ritengo perciò opportuno che Grazia, per risparmiare tempo, stia nelle vicinanze della Pasticceria siciliana.

4) Se nella mostra c'è qualche esemplare di Betta Splendens la nostra Betta cercherà certamente d'impadronirsene. Per poi far trovare il mio cadavere e quello di Grazia con tanti pesciolini rossi attorno. Non mi piacciono i pesci rossi, adoro le triglie di scoglio. Il tentativo di furto lo farà stanotte stessa, quando la mostra sarà chiusa. E quello sarà il nostro momento. L'ideale infatti sarebbe beccarla nei locali della mostra e chiudere definitivamente la partita lì. A casa sua la faccenda sarebbe più complicata.

Non perdere tempo a comunicare tutto questo a Grazia. Mancano cinque ore all'apertura della mostra. E dobbiamo organizzarci. Grazie.

Caro collega,

   come ti dicevo, non abbiamo i mezzi dei servizi, ma solo il computer di Angelica, la nipotina della Balbo, che comunque, a graphic design, se la cava meglio di me.

   Finora la Balboni ci è stata utilissima, e io suggerirei di coinvolgere anche la sua famiglia. A parte Angelica, che è una ragazzina piuttosto sveglia, ci sono anche la sorella della Balbo e suo cognato che mi sembrano fare al caso nostro. Per cosa? Te lo dico questa sera, ho paura che non approveresti il mio piano e preferisco metterti davanti al fatto compiuto. Se pensi che non possa funzionare saremo sempre in tempo a tirarci indietro.

Ultima ora (22.37). FAR WEST TRA I PESCI TROPICALI. *Tragica sparatoria nello spazio di via Sempione. Un uomo colpito a morte. Mistero sulle cause del conflitto a fuoco.*

MILANO MARITTIMA – È stato il pronto intervento di un vigile urbano a provocare la reazione di un uomo e una donna impegnati in un tentativo di rapina o di rapimento – ancora non è chiaro – alla mostra dei pesci tropicali. Il tragico bilancio è quello di un uomo raggiunto al cuore da un proiettile che lo ha ucciso sul colpo. Si tratta di... *(continua)*

VERBALE DI SOMMARIA
INFORMAZIONE TESTIMONIALE

L'anno 2006, addì 26 del mese di luglio, alle ore 00.15, in questo ufficio davanti al sottoscritto comm. capo dott. BALDINI ERALDO, ufficiale di polizia giudiziaria, è presente il signor CANTERINI ERMANNO, in atti meglio generalizzato, in forza presso la Polizia Municipale di Milano Marittima (RA), il quale dichiara:

– Mi trovavo alla mostra dei pesci tropicali tenutasi in via Sempione in quanto appassionato dell'argomento, in particolare di *Chaetodontidae*, volgarmente detto pesce farfalla, il cui stand più fornito si trova al numero 120 del Padiglione 1. Mentre mi fermavo a guardare un acquario particolarmente ben tenuto vedevo riflessa nel vetro la figura di una donna molto attraente che si dirigeva decisamente verso l'ingresso del Padiglione 2.

A.D.R.: Con attraente intendo indicare una bella donna dall'apparente età di trent'anni, bionda, dal seno prosperoso, vestita in modo non appariscente ma sensuale, con una borsetta a tracolla. Preciso che mi sono voltato a guardarla a lungo con notevole ammirazione, tanto da notare un piccolo neo all'occhio sinistro.

Invitato a riprendere il racconto dichiara:

– In quanto agente di Polizia Municipale sapevo che il Padiglione 2 era vuoto in quanto considerato inagibile e così ho cercato di attirare l'attenzione della donna per dirglielo, ma questa deve aver equivocato le mie intenzioni perché mi ha rivolto il chiaro gesto di non importunarla e dopo aver lanciato un'occhiata a un volantino che teneva in mano, che mi sembra raffigurasse un esemplare di *Betta Splendens*, volgarmente detto pesce combattente, ha proseguito il suo cammino entrando nel Padiglione suddetto.
– A questo punto, rientrato nelle vesti di agente di Polizia Municipale, per quanto fuori servizio, ho seguito la donna per intimarle di uscire ma arrivato sulla soglia quasi ho sbattuto in due persone che avevano afferrato la donna e cercavano di trascinarla con loro.

A.D.R.: Essendo deserto, il Padiglione 2 era poco illuminato e non ho visto con chiarezza i loro volti. Ricordo che si trattava di un uomo sui cinquant'anni, calvo e ben piazzato, e di una ragazza sui trent'anni, non molto alta. Tutti e due indossavano abiti sportivi.

– A quel punto ho afferrato la donna per un braccio e mi sono qualificato in quanto agente di P.M., ma la ragazza ha estratto una Beretta 92 F e me l'ha puntata al volto dicendomi di «levarmi dai coglioni». Istintivamente ho afferrato il polso della ragazza e in quel momento la donna ha approfittato della distrazione dell'uomo calvo per colpirlo al volto con il gomito e fuggire, rientrando nel Padiglione 1. L'uomo si è gettato all'inseguimento della donna mentre la ragazza mi colpiva con una ginocchiata al basso ventre per liberarsi e seguire gli altri due. In ginocchio a terra, confuso e dolorante, ho estratto la mia pistola d'ordinanza e ho esploso un colpo in aria, dopodiché perdevo i sensi.

A.D.R.: Preciso che ero in borghese e fuori servizio ma sono detentore di porto d'armi e ho l'abitudine di girare armato.

A.D.R.: Sono a conoscenza del soprannome di «RAMBO» che mi è stato affibbiato dai colleghi, ma non lo ritengo affatto dispregiativo.

Di quanto sopra viene redatto il presente verbale, che viene letto, confermato e sottoscritto.

Si allega anche referto medico indicante brutta tumefazione entrambi testicoli del suddetto CANTERINI ERMANNO.

Ermanno Canterini
Eraldo Baldini

RELAZIONE DI SERVIZIO

Il sottoscritto app.to FERRUCCI GIUSEPPE, in forza presso la locale stazione dei Carabinieri, riferisce quanto segue:

Il 26/07/2006 alle ore 21.30 svolgevo servizio ordinario alla mostra dei pesci tropicali in via Sempione, quando, udito un colpo d'arma da fuoco esploso in direzione dell'ingresso del Padiglione 2, vedevo tre persone uscirne di corsa e procedere nella mia direzione.

La prima persona, una donna piuttosto bella sui trent'anni, mi passava accanto per fermarsi poco più avanti, si voltava, estraendo una piccola automatica dalla borsetta, e la puntava sulle due persone che la seguivano, un uomo calvo e una ragazza più giovane.

La donna esplodeva tre colpi nella loro direzione, che

non li raggiungevano ma colpivano un grande acquario alle loro spalle, provocandone l'esplosione.

La donna riprendeva la corsa verso l'uscita della mostra, inseguita dall'uomo e dalla ragazza.

Io cercavo di fermarli, ma l'improvviso affollarsi dei titolari dello stand e dei passanti accorsi per salvare i pesci tropicali guizzanti sul pavimento me lo impediva.

App.to Ferrucci Giuseppe

x Miserocchi

Misero, poche storie perché mi devi un favore, per cui muto, compresso e rassegnato, il rapporto me lo scrivi te e io passo a firmarlo.

Allora, ispettore Coliandro eccetera eccetera. Temporaneamente aggregato al commissariato e assegnato al servizio di pattuglia per punizione (ma questo non scriverlo). Stavo in giro per Milano Marittima a rompermi i maroni (metti tu le parole giuste) quando vedo questa tipa che schizza fuori dalla mostra con una pistola in mano. Lì per lì il cannone non lo vedo, perché ha due tette, la tipa, minchia che tette, ma poi saltano fuori un pelato e una ragazzina, tutti e due con la berta in mano, io inchiodo e salto fuori, urlo polizia, regolare, e vorrei dire anch'io la mia in quanto a pistole ma faccio un casino con la fondina.

La tipa corre verso una macchina che sta dall'altra parte della strada, da cui è uscito un altro pelato, un tipo robusto, col pizzetto, impermeabile bianco e anche lui con la berta in mano. Tutti armati in 'sto casino, minchia, tranne io.

Appena urlo polizia la tipa si volta verso di me e mi spara un colpo, la stronza, che mi centra un finestrino. Mi cago addosso, è naturale, però sono un poliziotto, che ci sto a fare, riesco a tirare fuori la pistola e gli sparo una raffica in direzione macchina, perché è lì che sta salendo, con Pizzettino che è già dentro e sta mettendo in moto. Gli centro tutte e due le ruote di dietro, volevo beccare il lunotto ma non importa. L'auto si blocca, Pizzetto esce sparando e la ragazzina lo stende con un colpo in pieno petto. L'altro pelato apre la portiera della macchina e tira fuori la stronza, si guarda attorno e mi vede in ginocchio davanti all'auto di servizio, sportello aperto e chiavi dentro. Che gli dovevo dire? Avevo sparato tutti i colpi con la raffica, loro avevano le pistole, me le puntavano addosso, i bastardi, mi sono fatto da parte e quelli se ne sono andati con la macchina portandosi via la stronza.

Fine.

Misero, mettilo in bella con le parole giuste, perché io lo so che se lo scrivo io faccio un casino e finisco nei guai.

No, Misero, dai, davvero.

C.

PROCURA DELLA REPUBBLICA
PRESSO IL TRIBUNALE DI RAVENNA
SEZIONE DI POLIZIA GIUDIZIARIA

Si allega fotocopia del documento reperito sul corpo dell'uomo ucciso a Milano Marittima, in via Sempione 13, il 26 luglio 2006.

Si conferma che si tratta del colonnello in congedo Infante Mario.

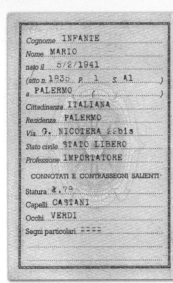

Cognome INFANTE
Nome MARIO
nato il 5/2/1941
(atto n. 1935 P. 1 S. A1)
a PALERMO ( )
Cittadinanza ITALIANA
Residenza PALERMO
Via G. NICOTERA 22bis
Stato civile STATO LIBERO
Professione IMPORTATORE

CONNOTATI E CONTRASSEGNI SALIENTI
Statura 1.78
Capelli CASTANI
Occhi VERDI
Segni particolari ====

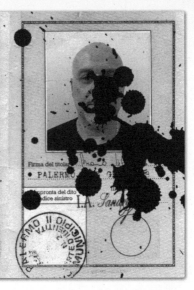

Firma del titolare
PALERMO

Impronta del dito
indice sinistro

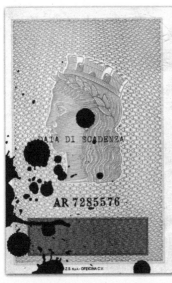

DATA DI SCADENZA

AR 7285576

REPVBBLICA ITALIANA

COMVNE DI
PALERMO

CARTA D'IDENTITA'

N.º AR 7285576

DI

MARIO

INFANTE

(Inizio registrazione)

BETTA: *(in sottofondo)* ...bastardi, figli di puttana, non immaginate neanche...

SALVO: Stai registrando?

GRAZIA: Ora sì... credo... sì, c'è la lucina.

B.: ...no, non lo immaginate proprio il casino in cui vi siete messi.

G.: Noi? Siamo nei casini noi? Quella legata come un salame sei te, mi sembra.

S.: E se ti lasciamo qui non ti trova più nessuno.

B.: Lo ammetto, mi avete fregato, siete stati bravi. Avevo messo della gente a sorvegliarvi...

G.: Immagino che siano ancora là. Vedranno la mia amica con due tizi che ci assomigliano. Gli ho detto di muoversi dietro le tende.

B.: Anche la ragazzina che mi ha dato il volantino per spedirmi nella trappola... brava, se manda il curriculum la assumiamo. Veniamo al dunque, cosa volete?

S.: Hai ucciso tu Magnifico?

G.: Quello dei pesci rossi... l'hai ammazzato tu.

B.: Ma certo. E non è stato il primo. Ma scusate... è una confessione quella che volete? Una confessione registrata? *(Ride.)* Sì, ho ucciso io Arturo Magnifico, l'ho fatto bere poi assieme a Mario l'ho soffocato con una Betta Splendens e un sacchetto di plastica.

S.: Mario Infante?

B.: Ah sì, scusate... devo essere più precisa. Io e il colonnello Infante facciamo parte... o meglio, io faccio parte, lui credo sia morto da come l'hai colpito... hai una buona mira, carina.

G.: Ho sparato a caso, senza guardare.

B.: Hai un talento, allora. Manda il curriculum anche tu.

S.: Dicevi che tu e il colonnello facevate parte...

B.: Di una struttura riservata...

S.: Deviata...

B.: ...è la stessa cosa. Magnifico e il suo amico avevano materiale compromettente sugli affari di un certo generale dei servizi e sui favori che aveva fatto alla politica in un momento molto difficile per il paese. Lui lo chiama patriottismo ma una toga rossa direbbe che era alto tradimento, e così per non rischiare...

S.: Intervenite tu e Infante.

B.: Mi chiamo Betta, risolvo problemi. Morto Magnifico, il problema siete diventati voi. Prima l'ispettore Negro e poi il commissario Montalbano. Mi mancavano giusto un paio di Betta Splendens... accidenti a quel volantino, c'era una foto così bella, ci sono cascata come una scema. Ma non ditemi che sono qui, legata come un salame, appunto, solo per dirvi questo. Lo sapevate già, immagino. Come immagino sappiate che quel nastro non serve a niente.

s.: Questo lo dici tu...

b.: Ma dai! Intanto non è legale... e tutto quello che ho detto può essere smentito. Oppure insabbiato. No, voi non mi avete portato qui per avere la mia confessione come in un romanzo giallo. Il mistero da risolvere, adesso, è un altro.

g.: E quale sarebbe?

b.: Voi mi avete portato qui per uccidermi. Lo sapete che se mi arrestate finisce come dico io. E se vi dicessi che la storia per me è chiusa, lasciatemi andare e amici come prima, mi dimentico di voi e non subirete rappresaglie?

g.: Col cazzo...

b.: Ecco, appunto. Allora per fermarmi, per liberarvi di me, dovete uccidermi. Ma voi non siete assassini. Voi non ammazzate a sangue freddo, quello lo faccio io. Voi siete poliziotti. E allora ecco il mistero. Che fate? Ispettore Negro, commissario Montalbano, che farete adesso? Mi ucciderete?

s.: Grazia... spegni il registratore.

g.: Ok.

(Fine registrazione)

GIOVANE DONNA NUDA TRAVOLTA E UCCISA
DA UN PIRATA DELLA STRADA

(v.m.) – Ieri mattina verso le ore cinque la signora Matilde Rossetti, casalinga, abitante a Milano Marittima al secondo piano di una palazzina sita in via La Spiga 12, che era uscita sul balcone per ritirare dei panni, scorgeva proprio al centro della stradina, che è stretta e breve e di scarso traffico, una giovane donna completamente nuda che vagava con passo incerto e barcollante. Superato il comprensibilissimo stupore, la signora Rossetti, munitasi di un accappatoio, stava per scendere in fretta e portare soccorso alla giovane quando udiva dalla strada provenire il rumore di un'auto lanciata a forte velocità e un attimo dopo sentiva un tremendo fragore. Riaffacciatasi di corsa, la signora con orrore vedeva il corpo martoriato della giovane che, per l'estrema violenza dell'impatto, era stato scagliato contro la saracinesca di un negozio. Del pirata della strada non c'era traccia. La polizia sta indagando per scoprire l'identità della vittima e individuare il conducente dell'auto investitrice.

CLAMOROSI SVILUPPI DELL'INDAGINE
SULLA DONNA NUDA TRAVOLTA E UCCISA
DA UN PIRATA DELLA STRADA

(v.m.) – Le testimonianze raccolte da coloro che hanno assistito sia pure parzialmente al mortale investimento di una giovane e bella donna che ieri mattina alle cinque si aggirava nuda in via La Spiga, a Milano Marittima, lasciano intravedere un quadro assai più fosco di un già di per sé atroce atto di pirateria stradale. Si profila infatti l'ipotesi di un feroce omicidio commesso con fredda determinazione. Il signor Paolo Timi, abitante al civico 2 di via La Spiga, ha dichiarato d'aver visto, mentre apriva il portone per rincasare, sopravvenire una coppia composta da un cinquantenne calvo e baffuto e da una donna che indossava un impermeabile. La donna è apparsa al Timi in evidente stato confusionale, forse per droga o alcol, tanto che il suo compagno doveva continuamente sorreggerla. Anche la signora Michela

Biancofiore, attraverso le stecche della persiana, ha notato la stessa scena narrata dal Timi, ma ha aggiunto un particolare molto sconcertante. E cioè che l'uomo calvo e baffuto, a un certo momento, si è fermato, ha tolto l'impermeabile alla donna e, con l'indumento appeso al braccio, si è messo a correre verso via Enea Ramolla scomparendo. Con enorme stupore la signora Biancofiore si accorgeva allora che la donna non indossava né vestito né biancheria intima. Rimasta paralizzata per la sorpresa, la signora aveva così modo di vedere arrivare da via Ramolla, quella nella quale l'uomo calvo e baffuto si era dileguato uno o due minuti prima, un'auto di grossa cilindrata che a forte velocità puntava contro la poveretta travolgendola e uccidendola. L'ipotesi più probabile è che alla guida della macchina ci fosse lo stesso uomo che l'aveva denudata. A questo punto gli interrogativi che nascono sono molti e complessi. La dinamica del delitto, se di delitto si tratta, appare del tutto inspiegabile. Se l'uomo ha lasciato l'auto in via Ramolla, dato che una sosta in via La Spiga non è possibile in quanto comporterebbe l'ostruzione della strada, perché l'assassino ha denudato la vittima? E perché la vittima indossava solo l'impermeabile? E che necessità c'era che l'omicidio avvenisse in una via comunque frequentata? L'autopsia della vittima, ancora senza identità, sarà eseguita domani e servirà a chiarire se la donna era ubriaca o drogata al momento della tragica fine. Manterremo informati i lettori sugli ulteriori sviluppi del caso.

TRAFUGATO DALL'OBITORIO
IL CADAVERE DI UNA DONNA

(v.m.) – Il mistero della giovane donna, ancora senza nome, travolta e uccisa da un'auto pirata a Milano Marittima in via La Spiga, pare destinato a infittirsi sempre di più. Ieri infatti abbiamo informato i nostri lettori che quello che si era voluto fare apparire come un ignobile atto di pirateria stradale nascondeva in realtà un brutale omicidio premeditato. Orbene, la notte scorsa ignoti sono penetrati all'interno dell'obitorio eludendo la vigilanza del guardiano notturno Ettore Vismara e hanno trafugato il cadavere della donna, evidentemente allo scopo d'impedire al dottor professor Manlio Visibelli di eseguirne l'esame autoptico previsto per questa mattina. È opinione comune che detto esame avrebbe portato, attraverso qualche segno particolare, all'individuazione della donna. E questo lo si è voluto evitare facendone sparire il corpo. Il fatto ha destato enorme scalpore in città. La polizia mantiene il più stretto riserbo.

PREMIATA
PASTICCERIA SICILIANA
Via Moro 14 – Milano Marittima (RA)
Tel 0544 34986 – P. IVA 2700054097

Cara Grazia, ti ricordi che una volta ti spedii dei canno-li che gradisti molto, magnificamente ricambiando? Ora ti prego di gustare queste cassatine, che mi pare siano degne dei cannoli. Stasera me ne ritorno a casa. Averti conosciuta è stato molto bello.

S.

Mia cara amica,

*meglio di così non poteva andare. Credo che tutto si sia ri-
solto e non abbiamo più nulla da temere. Sono più che con-
vinto che gli amici di Betta non siano in grado di muovere un
passo. Stasera stessa me ne torno a Vigàta, tu tornatene a Bologna e riprendi a vivere come se niente fosse accaduto. Tra
un mesetto ti manderò una lettera con la quale ti racconterò
come sono andate veramente le cose con Betta.*

Un abbraccio,

S.

Cara Grazia,

ti avevo promesso che ti avrei scritto a un mese dal mio rientro a Vigàta, e questo per un motivo semplicissimo: la prudenza voleva che, dopo i clamorosi fatti di Milano Marittima, tra noi due non ci fosse nessun contatto diretto per un certo periodo di tempo, allo scopo d'essere sicuri che gli amici di quella che una volta era *splendens*, e ora è definitivamente spenta, non ci avessero individuati.

Ma la tua curiosità femminile ha avuto la meglio e ieri mi hai chiamato in commissariato da Bologna spacciandoti per una collega «che aveva bisogno del rapporto per chiudere la pratica».

Eccoti il rapporto.

Ma ti devo prima dire con tutta sincerità che non mi

è piaciuta per niente la frase conclusiva della tua telefonata, evidentemente sfuggitati dal cuore, che suonava pressappoco così: «Non ti pare d'avere ecceduto?»

Sono rimasto basito, credimi.

La tua frase veniva a significare che hai creduto a quanto hanno raccontato i testimoni, e che è stato riportato dal Resto del Carlino, e cioè che si è trattato di un delitto commesso con estrema ferocia. E l'autore di questo delitto feroce a sangue freddo, ai tuoi occhi, sarei io. Guarda che a me viene assai difficile sparare anche durante uno scontro a fuoco, mentre a te la cosa riesce assai bene, a quanto ho potuto constatare di persona.

Ti dico come sono andate veramente le cose.

Se ti ricordi, finito l'inutile interrogatorio della splendens, ci consultammo un attimo sul che fare e, non avendo né io né tu idee chiare in proposito, convenimmo di prendere tempo e che io da lì a poco sarei ripassato da Betta portandole qualcosa da mangiare. Il nascondiglio era più che sicuro (sei stata bravissima a trovarlo!) e quindi potevamo agire con tranquillità. Mentre rincasavo, mi ripetevo le parole di Betta:

«...per fermarmi, per liberarvi di me, dovete uccidermi. Ma voi non siete assassini...»

Aveva perfettamente ragione. Sono rimasto a casa una mezz'oretta senza riuscire a trovare una soluzione. Poi sono nuovamente uscito, ho comprato due panini imbottiti di prosciutto e una bottiglia di vino e sono tornato da Betta. Lo sai? L'ho trovata come l'avevamo lasciata, nessun segno di paura o di stanchezza. Le ho tolto il cerotto dalla bocca e mi ha subito domandato, con un sorriso sfottente e una luce divertita negli occhi:

«Allora, che avete deciso?»

«Per intanto, di darti da mangiare», ho risposto.

«Grazie», ha detto. «In effetti ho un po' d'appetito». Come se fosse al ristorante.

Le ho sciolto solo un braccio e le ho dato un panino. L'ha divorato.

A questo punto le ho chiesto se voleva un sorso di vino.

«No, sono astemia. Vorrei dell'acqua».

Non ne avevo con me.

«Mangiati l'altro panino e dopo te la vado a prendere».

In quel momento mi sono ricordato che ci aveva raccontato d'avere ucciso Magnifico dopo averlo fatto bere. Volevo domandarle come ci fosse riuscita senza tenergli compagnia. Ma sono stato distratto da un improvviso scoppio di tosse di Betta, alla quale era andato di traverso un pezzo di panino.

«Acqua!», ha ansimato, mezzo strozzata.

Le ho immobilizzato il braccio, rimesso il cerotto, malgrado mugolasse no no no, e sono uscito.

Arrivato di corsa nel bar più vicino, invece di chiedere una bottiglia d'acqua minerale, ho sentito la mia voce che domandava una bottiglia di whisky.

Credimi, sono rimasto sorpreso dalla mia richiesta. Non l'ho corretta perché ho deciso, all'istante, d'abbandonarmi all'istinto.

Tornando, ho capito finalmente cosa avevo in mente di fare.

Farla ubriacare in modo bestiale e abbandonarla in strada.

Di sicuro sarebbe stata raccattata, senza documenti, da qualche pattuglia e portata in un posto di polizia dove, tornata alla ragione, le sarebbe stato assai difficile spiegare alcune cosine.

Tra l'altro nutrivo la speranza che la potessero identificare come la bella donna presente alla mostra dei pesci. In questo caso, ero certo che Betta non si sarebbe azzardata a fare i nostri nomi, perché avrebbe messo in pericolo se stessa. Insomma, il mio piano era di sputtanarla pubblicamente, bruciandola come agente dei servizi, deviati o no, e quindi rendendola inoffensiva.

Quando sono tornato, l'ho trovata con gli occhi fuori dalle orbite, stava soffocando. Le ho tolto il cerotto e ha potuto respirare meglio.

«Acqua!»

«Bevi questo».

E le ho mostrato il whisky. Ha sgranato gli occhi e ha ripetutamente fatto cenno di no con la testa. Allora mi sono messo dietro di lei, con le dita della sinistra le ho serrato le narici e appena ha dovuto aprire la bocca per respirare, le ho infilato il collo della bottiglia in gola.

A un quarto di bottiglia ha vomitato i panini. Un altro quarto gliel'ho fatto ingoiare con fatica. Poi è diventata inerte, beveva meccanicamente. Ci ho messo molto tempo a farle terminare la bottiglia perché non volevo che rigettasse. Alla fine, per sicurezza, le ho fatto scolare anche tutto il vino.

L'ho fatta dormire per qualche ora. Poi, stando in

guardia, l'ho slegata. Non mi fidavo di lei, quella era capace di avere finto l'ubriacatura e d'abbattermi con un colpo di kung fu (si scrive così?) alla minima mia distrazione.

Appena slegata, è caduta a terra dalla sedia. Il suo vestito era sporco di whisky, vino e vomito. Inoltre, si era fatta la pipì addosso.

Pensai che se fosse stata trovata nuda per strada sarebbe stato meglio ai fini dello sputtanamento.

E così l'ho spogliata e le ho fatto indossare il mio impermeabile. Siamo usciti e dopo un po' via La Spiga m'è sembrata il posto giusto per lasciarla. Le ho tolto l'impermeabile e sono scappato via.

Questo è tutto quello che ho fatto io.

Il seguito l'ho appreso dal giornale.

È stato veramente un atto di pirateria stradale compiuto da uno sconosciuto, che spero venga presto arrestato perché tu possa ricrederti dall'infame sospetto che nutri nei miei riguardi.

Non posso essere stato io a travolgerla perché a Milano Marittima non avevo macchina. E non avrei nemmeno potuto prenderla a nolo, perché occorre esibire un documento di riconoscimento e io non potevo far sapere a nessuno d'essere il commissario Salvo Montalbano.

E a scanso d'ulteriori cattivi pensieri t'informo che nessuno dei miei amici della Pasticceria siciliana possiede un'auto di grossa cilindrata.

Torno a ripeterti: a ucciderla è stato un pirata della strada. E sono altrettanto certo che a far scomparire il corpo dall'obitorio di Ravenna sono stati gli amichetti dei servizi per non farla identificare. I quali amichetti, se non si sono fatti vivi con te o con me in nessun modo, vuol dire che o non gliene importa più nulla della splendens o non sanno dove andare a sbattere la testa.

Insomma, credo che siamo definitivamente fuori da questa storia.

Il signore che ti porterà la lettera è un fidato vigatese. Ti consegnerà anche una cassata siciliana che potrai gustare tranquillamente perché dentro ci sono solo gli ingredienti della cassata, niente sorprese cartacee. Un forte abbraccio.

Tuo

Salvo

NOTA DELL'EDITORE

Primavera 2005. Guardandoli dialogare davanti alle macchine da presa non avrei mai immaginato quello che di lì a poco sarebbe successo, tantomeno che da un film potesse nascere un libro.

Siamo a Roma nello studio di Andrea Camilleri, con Carlo Lucarelli al suo fianco per girare le prime immagini di un documentario sui due scrittori prodotto da minimum fax media.

Il dialogo procede serrato, interrotto soltanto dai cambi di batterie e cassette delle macchine da presa, e dal rombo di un elicottero che irrompe ogni tanto nei microfoni.

È in scena una raffica di parole, aneddoti, ricordi, ricostruzioni sul loro mestiere, la rievocazione delle letture chiave, la loro visione comune del romanzo sperimentale che infrange di continuo i canoni rigidi del giallo e del noir. I due si stimano, direi che quasi si vogliono bene. Hanno quarant'anni di differenza, ma si esprimono attorno alla scrittura con il medesimo approccio e si rimbalzano generose confessioni di passione vera per l'atto di impegno civile del raccontare storie.

Di certo non succede quello che si direbbe quando si immagina un incontro fra due scrittori affermati. Qui l'alto e il basso hanno pari dignità, e per i due autori i generi sono limiti fisiologicamente infranti dallo spirito libero che li anima. Quello che si srotola sotto gli occhi di chi sta dietro le macchine da presa è un groviglio complesso, appassionante sui moventi che fanno scaturire la voglia incontenibile di scrivere.

L'unica cosa certa è che loro due si stanno davvero divertendo, sono seri ma leggeri, motivati ma anche portatori di sano distacco e autoironia.

E contagiati dal clima ci divertiamo anche noi.

Tanto che, durante un'altra pausa tecnica, non mi trattengo e porgo loro la fatidica domanda che mastico da un po' di quarti d'ora: «Come si comporterebbero i vostri personaggi, Salvo Montalbano e Grazia Negro, con un cadavere in mezzo ai piedi? Come interagirebbero in un'inchiesta? Me lo raccontate?»

Andrea e Carlo non battono ciglio come se fossero pronti da sempre a una domanda del genere, anzi proprio a *quella* domanda. All'invito, quindi, rilanciano.

Cominciano di colpo a descrivere quello che vedono: lei una cacciatrice di uomini, tosta, pronta all'azione, determinata; lui più filosofo, stratega e protettivo. E giù ipotesi, fatti, scenari.

Da questa fase in poi, si scatena davanti a noi una sorta di jam session letteraria, dove l'uno parla e l'altro ascolta pronto a intervenire, a variare sul tema, sorprendere e sorprendersi. Si avvicendano botta e risposta, colpi di scena, la storia sta incredibilmente in piedi e cresce a vista d'occhio.

Come in una di quelle jam session storiche in cui Miles Davis sale sul palco dove sta suonando Dizzy Gillespie, quando l'incontro tra i due produce qualcosa di irripetibile, tanto da far andare per sempre orgogliosi quelli che possono dire «c'ero anch'io!», mi sono goduto questo privilegio del poter assistere allo svolgersi della creazione estemporanea dell'improvvisazione, caratterizzata dal modo non confondibile dei due scrittori.

La metafora jazzistica rinforza la sua ragion d'essere durante lo svolgersi del documentario: entrambi gli autori amano il jazz, credono che ascoltarlo produca il *mood* decisivo per favorire la scrittura, le atmosfere della storia, il clima narrativo del loro raccontare. Dalle loro confessioni, Lucarelli coi suoni produce un vero e proprio lavoro di sperimentazione, Camilleri studia da sempre la ritmica dei pieni e dei vuoti e prendendo ad esempio l'*Amleto* finisce col definire il respiro del racconto «un respiro musicale». Quello all'arte musicale non è quindi un riferimento a caso, i conti tornano.

Ci siamo. Ciò che deriva da una mia semplice provocazione si fa sempre più chiaro.

E qui da produttore del documentario torno nei miei panni consueti di editore e azzardo: «Eh no, adesso questa storia la scrivete!»

Loro, a bruciapelo: «Sì, certo, la scriviamo. Ma come?»

Quella notte me la ricordo bene, ero combattuto fra mille ipotesi, consapevole dell'impossibilità di sequestrare i due autori in una stanza per sei mesi a fargli scrivere un testo in una forma che fondesse i loro contributi. A malapena e a fatica avevamo trovato nelle loro agende delle giornate libere per farli incontrare davanti alle macchine da presa. Figuriamoci per un impegno del genere.

La mattina dopo ci rivediamo a casa di Camilleri per un'altra seduta di riprese. Mentre la sua gentilissima signora ci offre un caffè, lui, sorridendo con l'aria di chi ha sciolto il dilemma, agita fra le mani un vecchio libro esibendone la copertina: è *Murder Off Miami (A Murder Mystery)* di Dennis Wheatley, un libro del 1936, una sorta di dossier d'inchiesta dove il delitto è raccontato con materiali di riporto, documenti della questura, foto, lettere.

Eureka. L'unità di misura del racconto sarà questa, e la forma sarà quella del romanzo epistolare, nel quale i due investigatori uniscono le forze e al contempo si sfidano per risolvere un'inchiesta non ufficiale (che, come dice Lucarelli nel documentario, «è per i personaggi di per sé un guaio, e quando i personaggi sono nei guai reagiscono meglio»).

Sono passati cinque anni da allora. Andrea e Carlo, immersi nella scrittura di altri romanzi, film, e impegni d'ogni genere, riprendevano le bozze di *Acqua in bocca* in mano e di volta in volta non facevano che mettersi alla prova a vicenda. La jam session ha avuto un processo altalenante, dove Camilleri a volte mi chiedeva ridendo della reazione di Carlo alla sua «botta» (così chiamavamo le varie spedizioni di scrittura), e ricevendo notizia dei complimenti e dell'imbarazzo in cui lo aveva gettato si compiaceva quasi ghignando, per poi cordialmente imprecare a sua volta quando l'altro aveva risposto per le rime smontando di sana pianta la sua precedente costruzione, mettendolo così anche lui in difficoltà. Nel qual caso se la rideva sotto i baffi Lucarelli.

All'arrivo a minimum fax delle buste piene di foto, collage, scritti a mano e dattiloscritti (mai ho sorriso tanto a un postino), mi chiudevo nella mia stanza per stirarmi nel rituale del poker le invenzioni dello scrittore mittente, e vedere dove la storia adesso sarebbe andata a parare.

Conservo gelosamente l'originale con tutte le loro note scritte a mano, e i rimandi a un parere del compagno/avversario. Sì, avversario, perché i due si stimano, ma non vogliono certo fare brutta figura di fronte alla scrittura dell'altro. Insomma, giochiamo, sì, ma non scherziamo.

Carlo a volte ha fatto passare mesi prima di rispondere, confessandomi al telefono che il Maestro lo aveva inguaiato con dei cambiamenti di fronte e di strategia che lo mettevano in difficoltà. Finalmente trovava la sua soluzione, e col procedere della storia andavo sempre più convincendomi che lo scambio epistolare era diventato una partita senza esclusione di colpi.

E qui l'altra metafora inevitabile: la partita a scacchi.

Quell'arte è fatta di strategia, capolavori tattici, guerra di posizione, scontro di nervi. Nel gioco fra i due autori/investigatori è successo qualcosa del genere, con l'episodio ricorrente in cui uno guarda assorto la scacchiera e si prende tutto il tempo possibile a disposizione per parare il colpo.

Come alle Olimpiadi scacchistiche di Varna nel 1962 nella storica partita tra il campione del mondo sovietico Botvinnik e il giovane Bobby Fischer da Brooklyn, nella quale il russo si prese tutto il tempo a disposizione possibile per rispondere con una contromossa che lo togliesse dalle corde e all'aggiornamento della partita passò tutta la notte a riflettere su come levarsi d'impaccio.

La mossa la trovò, e finì che la mattina dopo Fischer prese atto della situazione e ammise la «patta».

Il libro è finalmente chiuso.

Non c'è dubbio che in questo esperimento i personaggi si incontrano fuori dall'ordito consueto dei loro romanzi e interagiscono su un terreno neutro e comune, e questo stato di cose può produrre qualcosa di interessante. Innanzitutto i caratteri dei personaggi stessi sono portati all'estremo dal punto di vista dell'identità, ma ancor di più lo stile con cui sono raccontati, in questo match di reazioni istintive e di scrittura destinata a un interlocutore tutt'altro che immaginario, fa affiorare nettamente le caratteristiche degli stessi scrittori, la loro persona, il loro modo di essere. E qui l'interplay jazzistico, il suonare e scrivere nel senso del *play* inglese e del *jouer* francese, si libera dell'idea sacralizzata della scrittura nel senso mortificante e vetusto della «composizione», termine che si addice più a una salma che a questo tipo di libera espressione.

Nel suonare/giocare, la risorsa rara che può far da terreno fertile per questo tipo di prove è sicuramente l'affiatamento fra i due scrittori, la loro voglia di impegnarsi nel match, l'umiltà e il gusto del rischio che l'inconsueto equilibrio comporta. Quindi non posso che ringraziare di cuore Andrea Camilleri e Carlo Lucarelli che hanno voluto cimentarsi con generosità su un terreno accidentato, rinunciando al controllo che in concentrazione e solitudine il disegno della struttura di un romanzo di solito concede loro.

Daniele di Gennaro,
maggio 2010

TITOLI DI CODA

Acqua in bocca
di Andrea Camilleri e Carlo Lucarelli

impaginazione	Martina Testa
elaborazione immagini	Riccardo Falcinelli
	Livia Massaccesi
correzione delle bozze	Enrica Speziale
	Dario Matrone
progetto grafico	Riccardo Falcinelli
stampa	Grafica Veneta
promozione e distribuzione	Pde Italia

al momento in cui questo libro va in stampa
lavorano a minimum fax
con Marco Cassini e Daniele di Gennaro:

direttore editoriale	Martina Testa
ufficio stampa	Alessandro Grazioli
assistente ufficio stampa	Rossella Innocentini
editor collana Nichel	Nicola Lagioia
consulente narrativa francese	Lorenza Pieri
editor collana Indi	Christian Raimo
redazione	Dario Matrone
	Enrica Speziale
ufficio diritti	Lorenza Pieri
redazione web	Giulia Bussotti
amministrazione	Benedetta Persichetti
	Barbara Bernardini
responsabile magazzino	Costantino Baffetti
libreria minimum fax	Francesca De Cesare

minimum fax media   Barbara Bernardini
                         Arianna Bonazzi
responsabile corsi   Rachele Palmieri
minimum fax live   Alessandra Limentani

special thanks

Valentina Alferj, Arianna Bonazzi,
Giorgio Carella, Angela Dal Piaz,
Carlo Degli Esposti, Vittorio Giacopini,
Roberto Iacobelli, Lorenza Indovina,
Gioia Levi, Mauro Muzi, Francesco Pedicini,
Lorenza Pieri, Matteo Raffaelli,
Beatrice Renzi, Carmen Rossi,
Paolo Ruffini, Roberto Santachiara,
Antonio Sellerio, Francesco Serra, Nicola Sofri,
Angela Zingaretti, Luca Zingaretti

www.minimumfax.com

This book is printed by the sun

The first carbon-free
printing company in the world

FSC

Il marchio FSC identifica i prodotti forestali
o i loro derivati, tra cui la carta, provenienti da foreste
gestite in maniera corretta, sostenibile e responsabile secondo
rigorosi standard che tengono conto degli aspetti ambientali,
sociali ed economici del territorio dove si trova la foresta di origine.

finito di stampare nel agosto 2010
presso 🦁 Grafica Veneta spa – Trebaseleghe (Padova)
per conto delle edizioni minimum fax

ristampa	anno
10 9 8 7 6 5 4	2010 2011 2012 2013